ᓇᓗᓇᐃᒃᑯᑕᑦ ᐆᒪᔪᖅᑕᖃᕐᓂᖕᖓᓂᒃ ᓄᓇ

NALUNAIKKUTAT UUMAJUQTAQARNINGANIK NUNA

SIGNS OF ANIMALS ON THE LAND

ᑎᑎᖅᑐᒐᖅᑐᖅ
ᐊᒫᓐᑕ ᓵᓐᑦᓚᓐᑦ

TITIQTUGAQTUQ ILLUSTRATED BY
Amanda Sandland

ᑐᒦᑦ

tumiit

tracks

ᒪᓐᓃᑦ

manniit

eggs

ᓱᓗᒑᒃ

sulugaak

feathers

ᐊᓇᐃᑦ

anait

droppings

ᓴᐅᓖᑦ

sauniit

bones

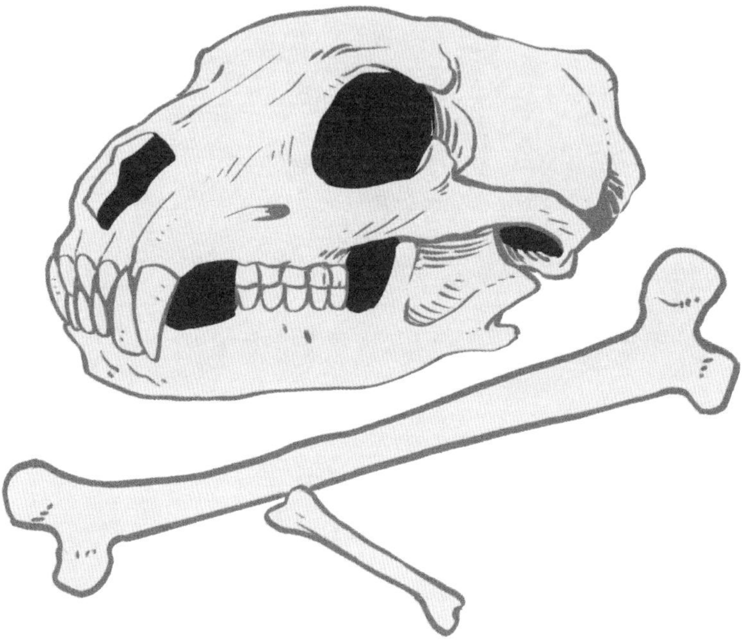

ᐳᓪᓚᕕᒃ

pullavik

hole